The Esse1  1

Diet Cookdook

Ein Umfassender Ratgeber Mit Natrium- Und
Kaliumarmen Rezepten Zur Verbesserung Der
Nierenfunktion Und Vermeidung Von Dialysen

Norah Gilmore - Julia Arnlod

genaue, aktuelle und zuverlässige und vollständige Informationen zu präsentieren. Es werden keine Garantien jeglicher Art erklärt oder impliziert. Die Leser erkennen an, dass der Autor sich nicht an der rechtlichen, finanziellen, medizinischen oder professionellen Beratung beteiligt. Der Inhalt dieses Buches wurde aus verschiedenen Quellen abgeleitet. Bitte wenden Sie sich an einen lizenzierten Fachmann, bevor Sie die in diesem Buch beschriebenen Techniken ausprobieren.

Mit der Lektüre dieses Dokuments erklärt sich der Leser damit einverstanden, dass der Autor unter keinen Umständen für direkte oder indirekte Verluste verantwortlich ist, die durch die Verwendung der in diesem Dokument enthaltenen Informationen entstehen, einschließlich, aber nicht beschränkt auf Fehler, Auslassungen oder Ungenauigkeiten.

Inhaltsverzeichnis

FRÜHSTÜCK **9**

PFANNKUCHEN MIT HIMBEEREN UND RICOTTA 10
MÜSLI MIX 12
BAMBUSBROT (LOW CARB) 13
PANZANELLA SALAT 15
CHIA PUDDING 17
KURKUMA NACHOS 18
UNGARISCHER BREI 20
ZITRONENQUARK 21
YUFKA PIES 22
MÜSLI AUS REISFLOCKEN 24
EI WEIß SCRAMBLE 25
COLLARD GREENS DISH 26
PAPAYA UND CRANBERRY JAM..28
RÜBEN-SMOOTHIE 30
CHIA BARS...31
EINFACHER GRÜNER SHAKE 32
FINE MORNING PORRIDGE 33
ZUCCHINI UND ZWIEBELPLATTE 34

MITTAGESSEN **36**

LECKERER FRÜHLINGSSALAT 37
GUT-HEILENDE KNOCHENBRÜHE...38
WÜRZIGE RAMEN NUDELN 40
RUCOLA SALAT 42
PARMESAN UND BASILIKUM PUTENSALAT 43
SÜßKARTOFFEL UND SCHWARZE BALLE CHILI 45
BUCHWEIZENSALAT 47
HUHN CHILI BLANCO 49
SCHNELLE MISO-SUPPE MIT VERWILDERTEN GRÜNS 51
MINESTRONE SUPPE MIT QUINOA...53
WÜRZIGE LIMETTENHUHN "TORTILLA-LESS" SUPPE 55

ABENDESSEN **57**

ELEGANTER BRUNCH HÜHNERSALAT 58
SOUTHERN FRIED CHICKEN..60
KIRSCHHÜHNERSALAT 62
OFENGEBACKENE TÜRKEI OBERSCHENKEL 63

GEFLÜGEL..**65**

PETERSILIE UND HÜHNERBRUST 66

EINFACHES SENFHUHN 68

GOLDENE AUBERGINEN FRIES 69

VERLOCKENDE BLUMENKOHL UND DILL-MASH 71

FIERY HONEY VINAIGRETTE 72

ERBSENSUPPE 73

PILZ UND OLIVE SIRLOIN STEAK 74

GRÜNER SALAT UND BOHNEN-MEDLEY 76

MINTY LAMM EINTOPF... 78

ZITRUSFRÜCHTE UND SENF MARINADE 80

SNACK..**81**

TANGY KURKUMA GEWÜRZTE FLORETTEN 82

GETREIDE CHIA CHIPS 83

INGWER MEHL BANANE INGWER BARS..................................... 85

BUTTERED BANANA KICHERERBSEN COOKIES 87

SÜßE SUNUP SAMEN... 89

DESSERT..**91**

SCHOKOLADE PARFAIT... 92

DER KOKOSNUSS-LAIB... 95

KOKOSNUSS-LAIB 97

Frühstück

Pfannkuchen mit Himbeeren und Ricotta

Zubereitungszeit: 21 Minuten

Kochzeit: 32 Minuten

Servieren: 2

Zutaten:

- 100g Mehl
- 1 Ei
- 200 ml Mineralwasser
- 50ml Sahne
- 1 TL Backpulver
- 1 Prise Salz
- 2 EL Rapsöl
- 80g Himbeeren
- 2 EL flüssiger Honig
- 200g Ricotta

Richtung:

1. Mischen Sie das Mehl mit dem Ei, Mineralwasser, Sahne, Salz und Backpulver.

2. Lassen Sie den Teig für 10 Minuten ruhen und braten 2 Pfannkuchen in heißem Rapsöl.

3.Füllen Sie mit Ricotta und Himbeeren und gießen Sie den Honig darüber.

Ernährung: 574 Kalorien 21g Protein 294mg Kalium 112mg Natrium

Müsli Mix

Zubereitungszeit: 11 Minuten

Kochzeit: 16 Minuten

Servieren: 4

Zutaten:

• 200g Hirseflocken

• 150g Maisflocken

• 150g Reischips oder aufgeblasener Reis

• 50g getrocknete Kokosnuss

• 50g Zucker

Richtung:

1. Braun die Kokosflocken mit dem Zucker in einer Pfanne. Abkühlen lassen und in die anderen Zutaten mischen. In einem verschließbaren Glas aufbewahren.

2. Servieren Sie mit einer Creme/Wasser-Mischung und Fruchtkompott (ohne Saft) oder Quark.

Ernährung: 231 Kalorien 4g Protein 67mg Kalium 117mg Natrium

Bambusbrot (Low Carb)

Zubereitungszeit: 7 Minuten

Kochzeit: 41 Minuten

Servieren: 2

Zutaten:

- 150 g Zwiebeln
- 1 EL Olivenöl
- 250 g fettarmer Quark
- 2 Eier
- 80 g Haferkleie
- 25 g Bambus-Fibber
- 30 g entöltes Gold-Leinsamenmehl
- 1 Teelöffel Tartar Backpulver
- 1 Teelöffel Salz

Richtung:

1.Den Ofen auf 175 Grad (Konvektion) vorheizen.

2.Schälen Sie die Zwiebeln und schneiden Sie in Würfel. Öl in einer Pfanne kochen und die Zwiebelwürfel 5 bis 6 Minuten braten.

3.Dann mischen Sie die Zwiebeln gut mit allen anderen Zutaten in einer Rührschüssel. Butter eine rechteckige Backform oder mit Backpapier auslegen.

4.Gießen Sie in den Teig und backen Für 30-35 Minuten. Vor dem Umdrehen gut abkühlen lassen.

Ernährung: 344 Kalorien 5g Protein 23mg Kalium 189mg Natrium

Panzanella Salat

Zubereitungszeit: 10 Minuten

Kochzeit: 5 Minuten

Portionen: 4

Zutaten:

- 2 Gurken, gehackt
- 1 rote Zwiebel, in Scheiben geschnitten
- 2 rote Paprika, gehackt
- 1/4 Tasse frischer Koriander, gehackt
- 1 Esslöffel Kapern
- 1 oz Vollkornbrot, gehackt
- 1 Esslöffel Rapsöl
- 1/2 Teelöffel gehackter Knoblauch
- 1 Esslöffel Dijon Senf
- 1 Teelöffel Olivenöl
- 1 Teelöffel Limettensaft

Wegbeschreibungen:

1.Pour Rapsöl in der Pfanne und bringen Sie es zum Kochen.

2.Fügen Sie gehacktes Brot hinzu und rösten Sie es bis knusprig (3-5 Minuten).

3.Mittlerweile in der Salatschüssel kombinieren geschnittene rote Zwiebeln, Gurken, Paprika, Koriander, Kapern, und mischen Sie sanft.

4.Make the dressing: Mischen Sie Limettensaft, Olivenöl, Dijon Senf und gehackten Knoblauch.

5.Übertragen Sie das Dressing über den Salat und rühren Sie es direkt vor dem Servieren.

Ernährung: Kalorien 136, Fett 5,7 g, Ballaststoffe 4,1 g, Kohlenhydrate 20,2 g, Eiweiß 4,1 g

Chia Pudding

Zubereitungszeit: 10 Minuten

Kochzeit: 30 Minuten

Portionen: 2

Zutaten:

• 1/2 Tasse Himbeeren

• 2 Teelöffel Ahornsirup

• 1 1/2 Tasse Plain Joghurt

• 1/4 Teelöffel gemahlener Kardamom

• 1/3 Tasse Chia Samen, getrocknet

Wegbeschreibungen:

1. Mix zusammen Plain Joghurt mit Ahornsirup und gemahlenem Kardamom.

2. Hinzufügen von Chia-Samen. Rühren Sie es vorsichtig.

3. Put den Joghurt in die Serviergläser und oben mit den Himbeeren.

4. Kühlen Sie das Frühstück für mindestens 30 Minuten oder über Nacht.

Ernährung: Kalorien 303, Fett 11,2 g, Ballaststoffe 11,8 g, Kohlenhydrate 33,2 g, Eiweiß 15,5 g

Kurkuma Nachos

Zubereitungszeit: 5 Minuten

Kochzeit: 20-30 Minuten

Portionen: 2-3

Zutaten:

• 1 Tasse Maismehl

• 1/2 Tasse Mehl

• 1/4 Teelöffel Kurkuma Pulver

• 1/4 Teelöffel Aji Wein

• Wasser nach Bedarf

• 2 Esslöffel Öl

Wegbeschreibungen:

1. Put Maismehl und Mehl in eine Schüssel.

2. Hinzufügen Salz, Kurkuma Pulver, und Aji Wein.

3. Mix alles sehr gut.

4. Jetzt den Teig fest mit warmem Wasser kneten.

5. Bedecken Sie den Teig und lassen Sie ihn für 10-15 Minuten aushärten.

6. Grease Ihre Hände mit einer kleinen Menge Öl und kneten Sie den Teig wieder.

7. Machen Sie eine Kugel mit dem Teig.

8. Nehmen Sie den Ball und runden Sie ihn.

9. Push es ein wenig und legen Sie es auf dem Rollbrett.

10. It wächst ein wenig wie Chapati.

11.Nachdem Sie die Armen platziert haben, stechen Sie es mit Hilfe einer Gabel.

12.Dann in die Hälfte von der Mitte schneiden und den Prozess wiederholen.

13.TIPPS

14.Das Öl in einer tiefen Pfanne erhitzen und Nachos bei mittlerer Hitze braten.

15.Danach heben Sie die Spitze kontinuierlich an. Rühren Sie bis golden.

16.Andererseits werden auch Chips aus anderen Teigkugeln zubereitet.

17.Wenn fertig, entleeren Sie den Chip auf dem Papier, um überschüssiges Öl zu entfernen. Lassen Sie die Spitze vollständig abkühlen.

18.Dann legen Sie die Pommes auf einen Teller und legen Sie den geriebenen Käse, fein gehackte Zwiebel, fein gehackte Paprika, und Mayonnaise auf die Pommes frites.

Ernährung: Kalorien: 378 kcal Protein: 8,03 g Fett: 12,22 g Kohlenhydrate: 57,66 g

Ungarischer Brei

Zubereitungszeit: 10 Minuten

Kochzeit: 10 Minuten

Portionen: 2

Zutaten:

- 1 Esslöffel Chia Samen
- 1 Esslöffel gemahlener Leinsamen
- 1/3 Tasse Kokoscreme
- 1/2 Tasse Wasser
- 1 Teelöffel Vanilleextrakt
- 1 Esslöffel Mandelbutter

Wegbeschreibungen:

1. Hinzufügen Chia Samen, Kokoscreme, Leinsamen, Wasser und Vanille zu einem kleinen Topf
2. Mix und lassen Sie es für 6 Minuten sitzen
3. Put Butter und Platz Topf bei niedriger Hitze
4. Keep rühren, wie Butter schmilzt
5. Sobald der Brei heiß/nicht kochend ist, in eine Schüssel gießen
6. Fügen Sie ein paar Beeren oder einen Schuss Sahne für zusätzlichen Geschmack

Ernährung: Kalorien: 410 Fett: 38g Kohlenhydrate: 10g Protein: 6g

Zitronenquark

Zubereitungszeit: 5 Minuten

Kochzeit: 75 Minuten

Servieren: 6

Zutaten:

• Frisch gepresster Zitronensaft 150 ml

• Frisch gepresster Mangosaft 100 ml

• Butter 100 gr.

• Gesiebierte Maisstärke 30 gr.

• Weißwein trocken 150 ml

• Zucker 150 gr.

• Geriebene Zitronenschale 1 Stk.

Richtung:

1.Die Butter schmelzen und die Maisstärke unter Rühren erhitzen, bis sie hellgelb ist. Zitronen- und Mangosaft und den Weißwein zugeben. Bitte stellen Sie sicher, dass es keine Klumpen gibt.

2.Jetzt fügen Sie den Zucker und Zitronenschale und lassen Sie es für weitere 2 Minuten kochen. Füllen Sie alles sofort in Gläser.

3.Der Zitronenquark dauert leider nur ca. 3 Tage im Kühlschrank.

Ernährung: 239 Kalorien 0.3g Protein 28mg Kalium 171mg Natrium

Yufka Pies

Zubereitungszeit: 15 Minuten

Kochzeit: 20 Minuten

Portionen: 6

Zutaten:

- 7 oz Yufka Teig/Phyllo Teig
- 1 Tasse frischer Koriander, gehackt
- 2 Eier, geschlagen
- 1 Teelöffel Paprika
- 1/4 Teelöffel Chiliflocken
- 1/2 Teelöffel Salz
- 2 Esslöffel saure Sahne
- 1 Teelöffel Olivenöl

Wegbeschreibungen:

1. In der Rührschüssel, saure Sahne, Salz, Chiliflocken, Paprika und geschlagene Eier kombinieren.
2. Bürsten Sie die Springform Pfanne mit Olivenöl.
3. 1/4 Teil des gesamten Yufka-Teigs in die Pfanne geben und mit einem Teil der Eimischung bestreuen.
4. Hinzufügen 1/4 Tasse Koriander.

5.Bedecken Sie die Mischung mit 1/3 Teil des verbleibenden Yufka-Teigs und wiederholen Sie alle Schritte erneut. Sie sollten 4 Ebenen erhalten.

6.Schneiden Sie die Yufka-Mischung in 6 Torten und backen bei 360F für 20 Minuten. Die gekochten Torten sollten eine goldbraune Farbe haben.

Ernährung: Kalorien 213, Fett 11,4 g, Ballaststoffe 0,8 g, Kohlenhydrate 18,2 g, Eiweiß 9,1 g

Müsli aus Reisflocken

Zubereitungszeit: 8 Minuten

Kochzeit 10 Minuten

Servieren: 2

Zutaten:

• 50 ml Sahne

• 150 ml Wasser

• 2 EL Zucker

• 35 g Reisflocken

• 50 g Heidelbeeren aus dem Glas, entwässert

• frische Minze

Richtung:

1.Bring die Sahne und Wasser zum Kochen in einem Topf, dann fügen Sie die Reisflocken und Zucker, zum Kochen wieder kurz und aus dem Herd zu entfernen. Lassen Sie es für 10 Minuten einweichen.

2.Divide zwischen 2 Schalen, fügen Sie Heidelbeeren, und servieren sie mit der Minze.

Ernährung: 200 Kalorien 2g Protein 68mg Kalium 10mg Natrium

Ei weiß Scramble

Zubereitungszeit: 10 Minuten

Kochzeit: 6 Stunden

Portionen: 4

Zutaten:

• 1 Teelöffel Mandelbutter

• 4 Eiweiß

• 1/4 Teelöffel Salz

• 1/2 Teelöffel Paprika

• 2 Esslöffel schwere Sahne

Wegbeschreibungen:

1. Whisk das Ei weiß sanft und fügen Sie schwere Creme.

2. Put die Mandelbutter in die Pfanne und schmelzen.

3. Dann fügen Sie Eiweiß-Mischung.

4. Sprinkle es mit Salz und kochen für 2 Minuten bei mittlerer Hitze.

5. Danach rührn Sie das Eiweiß mit der Gabel oder Spachtel Hilfe und bestreuen sie mit Paprika.

6. Kochen Sie das Rührei weiß für 3 Minuten mehr.

7. Übertragen Sie die Mahlzeit in die Servierteller.

Ernährung: Kalorien 68, Fett 5,1g , Ballaststoffe 0,5 g, Kohlenhydrate 1,3, g Eiweiß 4,6 g

Collard Greens Dish

Zubereitungszeit: 10 Minuten

Kochzeit: 60 Minuten

Portionen: 6

Zutaten:

• 1 Esslöffel Olivenöl

• 3 Scheiben Speck, in Scheiben geschnitten

• 1 große Zwiebel, gehackt

• 2 Knoblauchzehen, gehackt

• 1 Teelöffel Salz

• 3 Tassen Hühnerbrühe

• 1 Paprikaflocke

• 1 Pfund frische Kragengrün, in 2-Zoll-Stücke geschnitten

Wegbeschreibungen:

1. Nehmen Sie eine große Pfanne

2. Put Öl und lassen Sie das Öl, um es zu erwärmen

3. Hinzufügen Speck und kochen Sie es bis knusprig und entfernen Sie es, zerbröseln Sie den Speck und fügen Sie den zerbröckelten Speck in die Pfanne

4. Zwiebel hinzufügen und 5 Minuten kochen

5. Add Knoblauch und kochen, bis Sie einen schönen Duft haben

6.Hinzufügen Kragen Grüns und halten Braten, bis verwelkt, fügen Sie Hühnerbrühe und würzen mit Pfeffer, Salz und Paprika Flocken

7.Weniger Hitze und Abdeckung mit einem Deckel, köcheln für 45 Minuten

8.Genießen Sie!

Ernährung: Kalorien: 127 Fett: 10g Kohlenhydrate: 8g Protein: 4g

Papaya und Cranberry Jam

Zubereitungszeit: 8 Minuten

Kochzeit: 10 Minuten

Servieren: 6

Zutaten:

• Pulp einer reifen Papaya 700 Gramm

• Zitronensaft 4 EL

• Cranberries / Cranberries 100 Gramm

• Konservierung zucker1: 1 1000 Gramm

Richtung:

1.Mit heißem Wasser, waschen Sie die Papayas, reiben Sie sie trocken und schälen Sie sie. Dann schneiden Sie es in die Hälfte mit einem Teelöffel und kratzen Sie die Samen aus. Mit dem Zitronensaft das Fruchtfleisch pürieren. Die Preiselbeeren werden gewaschen und sortiert, in einen großen Topf gesteckt und mit einer Gabel leicht püriert. Papaya-Fruchtpüree und 1:1 des Gelierzuckers zugeben und gut vermischen.

2.Während des Rührens, zum Kochen bringen bei großer Hitze, bis alle Lebensmittel blasen kräftig. Jetzt beginnt die

Zeit zum Kochen! Lassen Sie es für 4 Minuten köcheln, ständig rühren.

3.Entfernen Sie den Topf vom Herd. Füllen Sie die heiße Masse schnell mit Gläsern mit heißem Wasser bis zum Rand spülen und sofort mit dem Schraubverschluss schließen.

Ernährung: 344 Kalorien 0.1g Protein 31mg Kalium 182mg Natrium

Rüben-Smoothie

Zubereitungszeit: 10 Minuten

Kochzeit: 0 Minuten

Portionen: 2

Zutaten:

•10 Unzen Mandelmilch, ungesüßt

•2 Rüben, geschält und geviertelt

•1/2 Tassenkirschen, entsteint

•1 Esslöffel Mandelbutter

Wegbeschreibungen:

1.In Mixer, mischen Sie die Mandelmilch mit rüben, Kirschen und Butter. Gut pulsieren, in Gläser gießen und servieren.

2.Genießen Sie!

Ernährung: Kalorien 165, Fett 5 g, Ballaststoffe 6 g, Kohlenhydrate 22 g, Eiweiß 5 g

Chia Bars

Zubereitungszeit: 4 Stunden

Kochzeit: 0 Minuten

Portionen: 4

Zutaten:

- 1/2 Tasse Chia Samen
- 1/3 Tasse Kakaopulver
- 1/2 Tasse geschredderte Kokosnuss, ungesüßt
- 1 Tasse gehackte Walnüsse
- 1/2 Tasse Hafer
- 1/2 Tasse dunkle Schokolade, gehackt
- 1 Teelöffel Vanilleextrakt

Wegbeschreibungen:

1. In Ihre Küchenmaschine, mischen Sie die Chia-Samen, Kakao, Kokosnuss, Walnüsse, Hafer, Schokolade und Vanille. Gut pulsieren und dann in eine gefütterte Backform pressen. 4 Stunden im Gefrierschrank aufbewahren, in 12 Riegel schneiden und zum Frühstück servieren.
2. Genießen Sie!

Ernährung: Kalorien 125, Fett 5 g, Ballaststoffe 4 g, Kohlenhydrate 12 g, Eiweiß 5 g

Einfacher grüner Shake

Zubereitungszeit: 5 Minuten

Kochzeit: 10 Minuten

Portionen: 1

Zutaten:

•3/4 Tasse Vollmandelmilchjoghurt

•21/2 Tassen Salat, Salatgrün mischen

•1 Packung Stevia

•1 Esslöffel MCT Öl

•1 Esslöffel Chia Samen

•1 1/2 Tassen Wasser

Wegbeschreibungen:

1.Hinzufügen von gelisteten Zutaten zu einem Mixer

2.Kombinieren, bis Sie eine cremige Textur haben

3.Serve gekühlt und genießen!

Ernährung: Kalorien: 320 Fett: 24g Kohlenhydrate: 17g

Protein: 10g

Fine Morning Porridge

Zubereitungszeit: 15 Minuten

Kochzeit: 10 Minuten

Portionen: 2

Zutaten:

- 2 Esslöffel Kokosmehl
- 2 Esslöffel Vanilleproteinpulver
- 3 Esslöffel Golden Leinsamen Mahlzeit
- 1 1/2 Tassen Mandelmandelmilch, ungesüßt
- Pulverisiertes Erythritol

Wegbeschreibungen:

1. Nehmen Sie eine Schüssel und mischen Sie in Leinsamenmehl, Proteinpulver, Kokosmehl und gut mischen

2. Fügen Sie Mischung in den Topf (bei mittlerer Hitze platziert)

3. Mandelmilch hinzufügen und rühren, die Mischung verdicken lassen

4. Add Ihre gewünschte Menge an Süßungsmittel und servieren

Ernährung: Kalorien: 259 Fett: 13g Kohlenhydrate: 5g Protein: 16g

Zucchini und Zwiebelplatte

Zubereitungszeit: 15 Minuten

Kochzeit: 45 Minuten

Portionen: 4

Zutaten:

- 3 große Zucchinis, julienned
- 1/2 Tasse Basilikum
- 2 rote Zwiebeln, dünn geschnitten
- 1/4 Teelöffel Salz
- 1 Teelöffel Cayennepfeffer
- 2 Esslöffel Zitronensaft

Wegbeschreibungen:

1. Erstellen Sie Zucchini Zoodles, indem Sie einen Gemüseschäler verwenden und die Zucchini mit Schäler längs rasieren, bis Sie zum Kern und den Samen gelangen

2. Turn Zucchini und wiederholen, bis Sie lange Streifen haben

3. Discard Samen

4. Lay Streifen auf Schneidebrett und Scheibe längs auf Ihre gewünschte Dicke

5. Mix Zoodles in einer Schüssel neben Zwiebel, Basilikum und werfen

6. Sprinkle Salz und Cayennepfeffer auf der Oberseite

7. Drizzle Zitronensaft

Ernährung: Kalorien: 156 Fett: 8g Kohlenhydrate: 6g Protein: 7g

Mittagessen

Leckerer Frühlingssalat

Zubereitungszeit: 10 Minuten

Kochzeit: 0 Minuten

Portionen: 2

Zutaten:

• 5 Tassen Salatgrüns in der Saison Ihrer Wahl

Dressing:

• 125 ml Olivenöl

• 45 ml (3 EL) Zitronensaft

• 15 ml (1 EL) reines Senfpulver

• 45 ml (3 EL) Kapern, gehackt (optional)

• Niedriges Natriumsalz

• Pfeffer

Wegbeschreibungen:

1. Kombinieren Sie Salatgrüns und jedes andere rohe Gemüse nach Wahl.

2. Kombinieren Sie Öl, Zitronensaft und Senf. Gut mischen.

3. Fügen Sie Kapern, niedrigenatriumsalz und Pfeffer nach Geschmack.

4. Pour Dressing über Salat, werfen und servieren.

Ernährung: Kalorien: 2140 kcal Protein: 4,8 g Fett: 234,59 g Kohlenhydrate: 3,96 g

Gut-Heilende Knochenbrühe

Zubereitungszeit: 15 Minuten

Kochzeit: 8 bis 24 Stunden

Portionen: 4

Zutaten:

- 2 Pfund Rindermarkknochen
- 4 Knoblauchzehen
- 3 mittelgroße Karotten, gehackt
- 2 Selleriestiele, gehackt
- 1 mittelgroße Zwiebel, gehackt
- 2 Lorbeerblätter
- 1 Esslöffel Apfelessig
- Gefiltertes Wasser, um

Wegbeschreibungen:

1. In einem 6-Quadrat-Langsamkocher, kombinieren Sie die Knochen, Knoblauch, Karotten, Sellerie, Zwiebel, Lorbeerblätter und Essig. Abdeckung mit gefiltertem Wasser. Stellen Sie den Herd niedrig und köcheln für mindestens 8 Stunden und bis zu 24 Stunden.

2. Skim off und entsorgen Sie jeden Schaum, der auf der Oberfläche bildet. Die Brühe durch ein feinmaschiges Sieb oder Käsetuch ablassen, um die Feststoffe zu belasten. Gießen Sie in luftdichte Glasbehälter. Die Brühe kann bis zu 1 Woche gekühlt aufbewahrt werden; einfach vor Gebrauch wieder

aufkochen. Zum Einfrieren lassen Sie die Brühe vollständig abkühlen und füllen Sie dann Gläser bis zu 1 Zoll unter der Oberseite, um eine Expansion zu ermöglichen, und halten Sie für 4 bis 5 Monate.

Ernährung: Kalorien: 40 Gesamtfett: 0g gesättigte Fettsäuren: 0g Cholesterin: 0mg Kohlenhydrate: 5g Ballaststoffe: 0g Protein: 6g

Würzige Ramen Nudeln

Zubereitungszeit: 15 Minuten

Kochzeit: 0 Minuten

Portionen: 4

Zutaten:

- 8 Unzen Buchweizennudeln oder Reisnudeln, gekocht
- 2 Esslöffel Sesamsamen
- 1/4 Tasse dünn geschnittene Gurke
- 1/4 Tasse in Scheiben geschnittene Jakobsmuschel
- 1/4 Tasse gehackter frischer Koriander
- 2 Esslöffel Sesamöl
- 2 Esslöffel Reisessig
- 1 Esslöffel gerieben geschältem, frischgeschältem Ingwer
- 1 Esslöffel Kokos-Aminos
- 1 Esslöffel Rohhonig
- 1 Esslöffel frisch gepresster Limettensaft
- 1 Teelöffel Chilipulver

Wegbeschreibungen:

1.In eine große Servierschüssel, mischen Sie die Nudeln, Sesamsamen, Gurken, Jakobsmuscheln, Koriander, Sesamöl, Essig, Ingwer, Kokos-Aminos, Honig, Limettensaft und

Chilipulver gründlich. Unter 4 Suppenschüsseln aufteilen und bei Raumtemperatur servieren.

Ernährung: Kalorien: 663 Gesamtfett: 28g gesättigte Fettsäuren: 4g Cholesterin: 0mg Kohlenhydrate: 115g Ballaststoffe: 39g Protein: 21g

Rucola Salat

Zubereitungszeit: 10 Minuten

Kochzeit: 0 Minuten

Portionen: 2

Zutaten:

- 4 Teelöffel frischer Zitronensaft
- 4 Teelöffel Walnussöl
- Niedriges Natriumsalz und frisch gemahlener Pfeffer
- 6 Tassen Rucola Blätter und zarte Stiele (ca. 6 Unzen)
- Knoblauchpulver nach Geschmack

Wegbeschreibungen:

1. Den Zitronensaft in eine Schüssel geben. Nach und nach in das Öl einrühren. Mit niedrigem Natriumsalz und Pfeffer abschmecken.

2. Add die Grüns, zu toss, bis gleichmäßig gekleidet, und dienen auf einmal. Dies ist köstlich, und fühlen Sie sich frei, Paprika oder geriebene Karotten- und Zwiebelscheiben hinzuzufügen.

3. Substitution: Jedes milde Grün, wie Lammsalat, wird tun. Ernährung: Kalorien: 163 kcal Protein: 9,16 g Fett: 12,94 g Kohlenhydrate: 5,92 g

Parmesan und Basilikum Putensalat

Zubereitungszeit: 15 Minuten

Kochzeit: 35 Minuten

Portionen: 4

Zutaten:

- 2 ganze hautlose, knochenlose Putenbrüste
- Salz und Pfeffer nach Geschmack
- 1 Tasse Mayonnaise
- 1 Tasse gehacktes frisches Basilikum
- 2 Knoblauchzehen zerkleinert
- 3 Stiele Sellerie, gehackt
- 2/3 Tasse geriebener Parmesankäse

Wegbeschreibungen:

1. Pute mit Salz und Pfeffer würzen. Bei 375 Grad F 35 Minuten braten, oder bis die Säfte klar laufen. Abkühlen lassen und in Stücke schneiden.

2. In eine Küchenmaschine, pürieren Sie mayonnaise, Basilikum, Knoblauch und Sellerie.

3. Kombinieren Sie den gehackten Truthahn, pürierte Mischung, und Parmesan-Käse; Werfen.

4.Kühlen und servieren.

Ernährung: Kalorien 303, Natrium 190mg, Ballaststoffe 0,4g, Gesamtzucker 4.7g, Protein 8.5g, Calcium 73mg, Kalium 121mg, Phosphor 100 mg

Süßkartoffel und Schwarze Balle Chili

Zubereitungszeit: 10 Minuten

Kochzeit: 20 Minuten

Portionen: 8

Zutaten:

- 2 Esslöffel Mandelöl
- 1 rote Zwiebel, gewürfelt
- 5 Knoblauchzehen, gehackt
- 1 rote Paprika, gewürfelt
- 1 grüner Paprika, gewürfelt
- 3 Tassen gekochte Süßkartoffelwürfel
- 3 Tassen schwarze Bohnen, entwässert und gut gespült
- 2 Tassen Gemüsebrühe
- 1 (28-Unze) kann Paprika mit ihrem Saft gewürfelt
- 1 Esslöffel frisch gepresster Limettensaft
- 1 Esslöffel Chilipulver
- 1 Teelöffel Kakaopulver
- 1 Teelöffel gemahlener Kreuzkümmel
- 1 Teelöffel Salz
- 1/2 Teelöffel gemahlener Zimt
- 1/4 Teelöffel Cayennepfeffer
- 1/4 Teelöffel getrockneter Oregano

Wegbeschreibungen:

1.In einem riesigen Suppentopf bei mittlerer Hitze, erwärmen Sie das Mandelöl.

2.Put die Zwiebel und Knoblauch, und sauté für 2 Minuten.

3.Stir in der roten Paprika und die grüne Paprika, und sauté für etwa 3 Minuten, bis weich.

4.Fügen Sie die Süßkartoffel, Bohnen, Brühe, Paprika, Limettensaft, Chilipulver, Kakaopulver, Kreuzkümmel, Salz, Zimt, Cayennepfeffer und Oregano, dann rühren zu kombinieren. Zum Kochen geben und 15 Minuten kochen lassen. Sofort servieren.

Ernährung: Kalorien: 160 Gesamtfett: 4g gesättigte Fettsäuren: 0g Cholesterin: 0mg Kohlenhydrate: 29g Ballaststoffe: 6g Protein: 8g

Buchweizensalat

Zubereitungszeit: 12 Minuten

Kochzeit: 20 Minuten

Portionen: 3

Zutaten:

- 2 Tassen Wasser
- 1 Knoblauchzehe, zerschlagen
- 1 Tasse ungekochter Buchweizen
- 2 große gekochte Hähnchenbrust - in mundgerechte Stücke geschnitten
- 1 große rote Zwiebel, gewürfelt
- 1 große grüne Paprika, gewürfelt
- 1/4 Tasse gehackte frische Petersilie
- 1/4 Tasse gehackte frische Schnittlauch
- 1/2 Teelöffel Salz
- 2/3 Tasse frischer Zitronensaft
- 1 Esslöffel Balsamico-Essig
- 1/4 Tasse Olivenöl

Wegbeschreibungen:

1.Bring das Wasser, Knoblauch zum Kochen in einem Topf. Den Buchweizen einrühren, Die Hitze auf mitteltief reduzieren, abdecken und köcheln lassen, bis der Buchweizen zart ist und das Wasser 15 bis 20 Minuten aufgenommen wurde.

2.Entsorgen Sie die Knoblauchzehe und kratzen Sie den Buchweizen in eine große Schüssel.

3.Das Huhn, die Zwiebel, die Paprika, die Petersilie, den Schnittlauch und das Salz vorsichtig in den Buchweizen rühren.

4.Bestreuen Sie mit Olivenöl, Balsamico-Essig und Zitronensaft. Rühren, bis gleichmäßig gemischt.

Ernährung: Kalorien 199, Gesamtfett 8.3g, Natrium 108mg, Diätfaser 2.9g, Gesamtzucker 2g, Protein 13.6g, Calcium 22mg, Kalium 262mg, Phosphor 188 mg

Huhn Chili Blanco

Zubereitungszeit: 10 Minuten

Kochzeit: 20 Minuten

Portionen: 4

Zutaten:

- 1 Esslöffel Ghee
- 2 kleine Zwiebeln, gehackt
- 6 Knoblauchzehen, gehackt
- 2 (4-Unzen) Dosen gewürfelt mild grüne Chilis mit ihrer Flüssigkeit
- 4 Tassen weiße Bohnen, entwässert und gut gespült
- 4 Tassen Hühnerbrühe oder Gemüsebrühe
- 4 Teelöffel gemahlener Kreuzkümmel
- 2 Teelöffel getrockneter Oregano
- 1 Teelöffel Chilipulver
- 1/4 Teelöffel Cayennepfeffer
- 4 Tassen geschreddert gekochtes Huhn
- 2 Jakobsmuscheln, in Scheiben geschnitten

Wegbeschreibungen:

1. In einen riesigen Suppentopf bei mittlerer Hitze, schmelzen Sie das Ghee.

2. Fügen Sie die Zwiebeln und Knoblauch, und sauté für 5 Minuten.

3. Put die Chilis, und kochen für 2 Minuten, unter Rühren.

4.Stir in den Bohnen, Brühe, Kreuzkümmel, Oregano, Chili-Pulver, und Cayennepfeffer. Bringen Sie es zum Kochen.

5.Fügen Sie das Huhn, zum Kochen bringen, reduzieren Sie die Hitze auf mittel-niedrig, und kochen für 10 Minuten. Sofort servieren, mit den Jakobsmuscheln bestreut.

Ernährung: Kalorien: 304 Gesamtfett: 4g gesättigte Fettsäuren: 2g Cholesterin: 0mg Kohlenhydrate: 46g Ballaststoffe: 12g Protein: 21g

Schnelle Miso-Suppe mit verwilderten Grüns

Zubereitungszeit: 10 Minuten

Kochzeit: 5 Minuten

Portionen: 4

Zutaten:

- 3 Tassen gefiltertes Wasser
- 3 Tassen Gemüsebrühe
- 1 Tasse in Scheiben geschnittene Pilze
- 1/2 Teelöffel Fischsauce
- 3 Esslöffel Miso Paste
- 1 Tasse frischer Babyspinat, gründlich gewaschen
- 4 Jakobsmuscheln, in Scheiben geschnitten

Wegbeschreibungen:

1.In einen riesigen Suppentopf bei großer Hitze, fügen Sie das Wasser, Brühe, Pilze und Fischsauce, und zum Kochen bringen. Von der Hitze entfernen.

2.In eine kleine Schüssel, mischen Sie die Miso-Paste mit 1/2 Tasse erhitzten Brühe-Mischung, um den Miso aufzulösen. Die Miso-Mischung wieder in die Suppe rühren.

3.Stir in den Spinat und Jakobsmuscheln. Sofort servieren.

Ernährung: Kalorien: 44 Gesamtfett: 0 gesättigte Fettsäuren: 0g Cholesterin: 0mg Kohlenhydrate: 8g Ballaststoffe: 1g Protein: 2g

Minestrone Suppe mit Quinoa

Zubereitungszeit: 10 Minuten

Kochzeit: 20 Minuten

Portionen: 6

Zutaten:

- 1 Esslöffel Ghee
- 2 Knoblauchzehen, gehackt
- 1 mittelgroße weiße Zwiebel, gewürfelt
- 2 Karotten, gehackt
- 2 Selleriestiele, gewürfelt
- 1 kleine Zucchini, gewürfelt
- 1/2 rote Paprika, gewürfelt
- 5 Tassen Gemüsebrühe
- 1 (14 Oz.) kann Paprika mit seinem Saft gewürfelt
- 1 (14 Oz.) cannellini Bohnen, entwässert und gut gespült
- 1 Tasse verpackter Grünkohl, stieliert und gründlich gewaschen
- 1/2 Tasse Quinoa, gut abspült
- 1 Esslöffel frisch gepresster Zitronensaft
- 2 Teelöffel getrockneter Rosmarin
- 2 Teelöffel getrockneter Thymian
- 1 Lorbeerblatt
- 1/2 Teelöffel Salz

• Frisch gemahlener schwarzer Pfeffer

Wegbeschreibungen:

1.In einen riesigen Suppentopf bei mittlerer Hitze, fügen Sie das Ghee, Knoblauch, Zwiebel, Karotten und Sellerie, und sautieren für 3 Minuten.

2.Fügen Sie die Zucchini und rote Paprika, und sauté für 2 Minuten.

3.Stir in der Brühe, Paprika, Bohnen, Grünkohl, Quinoa, Zitronensaft, Rosmarin, Thymian, Lorbeerblatt und Salz, und mit schwarzem Pfeffer würzen. Legen Sie es auf einen Köcher, senken Sie die Hitzetemperatur, Decken und kochen für 15 Minuten, oder bis die Quinoa gekocht ist. Entfernen Sie das Lorbeerblatt und entsorgen Sie es. Heiß servieren.

Ernährung: Kalorien: 319 Gesamtfett: 5g gesättigte Fettsäuren: 2g Cholesterin: 0mg Kohlenhydrate: 42g Ballaststoffe: 9g Protein: 18g

Würzige Limettenhuhn "Tortilla-Less" Suppe

Zubereitungszeit: 10 Minuten

Kochzeit: 20 Minuten

Portionen: 6

Zutaten:

- 1 Esslöffel Mandelöl

- 3 Knoblauchzehen, gehackt

- 1 mittelgroße weiße Zwiebel, gewürfelt

- 1 Jalapeo-Pfeffer, entkernt und gehackt

- 6 Tassen Hühnerbrühe oder Gemüsebrühe

- 1 Pfund geschreddertes gekochtes Huhn

- 1 (14 Oz.) kann Paprika gewürfelt, und sein Saft

- 1 (4oz.) kann gewürfelte grüne Chiles

- 3 Esslöffel frisch gepresster Limettensaft

- 1 Teelöffel Chilipulver

- 1 Teelöffel gemahlener Kreuzkümmel

- 1/2 Teelöffel Salz

- 1/4 Teelöffel Cayennepfeffer

- Frisch gemahlener schwarzer Pfeffer

- 1 Mandel, in Scheiben geschnitten

- Frischer Koriander zum Garnieren

Wegbeschreibungen:

1.In einem riesigen Suppentopf bei mittlerer Hitze, erhitzen Sie das Mandelöl.

2.Fügen Sie den Knoblauch, Zwiebel und Jalapeo Pfeffer, und sauté für 5 Minuten.

3.Stir in der Brühe, Huhn, Paprika, grüne Chili, Limettensaft, Chili-Pulver, Kreuzkümmel, Salz und Cayennepfeffer, und mit schwarzem Pfeffer würzen. Legen Sie es zum Kochen, und kochen Sie für 10 Minuten.

4.Serve heiß, mit Mandelscheiben gekrönt und mit Koriander garniert.

Ernährung: Kalorien: 283 Gesamtfett: 7g gesättigte Fettsäuren: 1g Cholesterin: 47mg Kohlenhydrate: 12g Ballaststoffe: 3g Protein: 29g

Abendessen

Eleganter Brunch Hühnersalat

Zubereitungszeit: 20 Minuten

Kochzeit: 0 Minuten

Portionen: 4

Zutaten:

• 1 Pfund hautlose, knochenlose Hähnchenbrusthälften

• 1 Ei

• 1/4 Teelöffel trockener Senf

• 2 Teelöffel heißes Wasser

• 1 Esslöffel Weißweinessig

• 1 Tasse Olivenöl

• 2 Tassen halbierte kernlose rote Trauben

Wegbeschreibungen:

1. Kochen Wasser in einem großen Topf. Fügen Sie das Huhn und köcheln, bis gründlich etwa 10 Minuten gekocht. Abtropfen lassen, abkühlen und in Würfel schneiden.

2. Während kochendes Huhn, machen Sie die Mayonnaise: Mit einem Mixer oder Hand-Elektro-Mixer, schlagen Sie das Ei, Senf, Wasser und Essig, bis leicht und schaumig.

3. Fügen Sie das Öl einen Esslöffel zu einer Zeit, schlagen gründlich nach jeder Zugabe. Wenn die Kombination zu verdicken beginnt, können Sie Öl schneller hinzufügen.

4. Weiter, bis die Mischung die Konsistenz der cremigen Mayonnaise erreicht.

5.In eine große Schüssel, werfen Sie das Huhn, Trauben und 1 Tasse der Mayonnaise zusammen. Rühren, bis gleichmäßig beschichtet, Hinzufügen von mehr Mayonnaise, wenn nötig. Kühlen bis zum Servieren.

Ernährung: Kalorien 676, Natrium 56mg, Gesamtkohlenhydrate 14.7g, Diätfasern 1.4g, Gesamtzucker 12.2g, Protein 28.1g,

 Calcium 10mg, Kalium 183mg, Phosphor 120 mg

Southern Fried Chicken

Zubereitungszeit: 5 Minuten

Kochzeit: 26 Minuten

Portionen: 2

Zutaten:

- 2 x 6-oz. knochenlose hautlose Hähnchenbrust
- 2 EL heiße Sauce
- 1/2 TL Zwiebelpulver
- 1 EL Chilipulver
- 2 Unzen Schweineschinder, fein gemahlen

Wegbeschreibungen:

1. Hacken Sie die Hähnchenbrust in der Hälfte längs und reiben Sie in der heißen Sauce. Kombinieren Sie das Zwiebelpulver mit dem Chilipulver, dann reiben Sie in das Huhn. Mindestens eine halbe Stunde marinieren lassen.

2. Verwenden Sie die gemahlenen Schweineschlacken, um die Hähnchenbrust in den gemahlenen Schweineschnäpchen zu beschichten und sie gründlich zu bedecken. Legen Sie das Huhn in Ihre Fritteuse.

3. Stellen Sie die Fritteuse auf 350°F und kochen Sie das Huhn für 13 Minuten. Drehen Sie das Huhn um und kochen Sie die andere Seite für weitere 13 Minuten oder bis golden.

4.Testen Sie das Huhn mit einem Fleischthermometer. Wenn sie vollständig gekocht ist, sollte sie 165°F erreichen.

Servieren Sie heiß, mit den Seiten Ihrer Wahl.

Ernährung: Kalorien: 408Fett: 19 g Kohlenhydrate: 10 g

Protein: 35 g Calcium 39mg, Phosphor 216mg, Kalium 137mg

Natrium: 153mg

Kirschhühnersalat

Zubereitungszeit: 15 Minuten

Kochzeit: 00 Minuten

Portionen: 4

Zutaten:

•3 gekochte, knochenlose Hähnchenbrusthälften, gewürfelt

•1/3 Tasse getrocknete Kirschen

•1/3 Tasse gewürfelter Sellerie

•1/3 Tasse fettarme Mayonnaise

•1/2 Teelöffel gemahlener schwarzer Pfeffer

•1/3 Tasse gewürfelte Äpfel (optional)

Wegbeschreibungen:

1.In eine große Schüssel, kombinieren Sie das Huhn, getrocknete Kirschen, Sellerie, Mayonnaise, und Pfeffer und Apfel, wenn gewünscht.

2.Toss zusammen gut und kühlen, bis gekühlt.

3.Dienen

Ernährung: Kalorien 281, Gesamtfett 11,8g, Cholesterin 31mg, Natrium 586mg, Ballaststoffe 1,4g, Gesamtzucker 2,9g, Protein 14,7g, Calcium 12mg, Kalium 55mg, Phosphor 20 mg

Ofengebackene Türkei Oberschenkel

Zubereitungszeit: 10 Minuten

Kochzeit: 30 Minuten

Portionen: 4

Zutaten:

- 10 Unzen Putenschenke, Haut auf, Knochen-in
- 1/3 Tasse Weißwein
- 1 Zitrone
- 1 Esslöffel frischer Oregano
- 1/4 Teelöffel geknackter schwarzer Pfeffer
- 1 Esslöffel Olivenöl

Wegbeschreibungen:

1. Erhitzen Sie den Ofen auf 350 Grad F.
2. Putenschenke und Weißwein in eine Ofenpfanne geben. Die Hälfte der Zitrone über den Truthahn drücken. Restliche Zitrone in Scheiben schneiden und mit Zitronenscheiben aufden.
3. Season Truthahn mit frischem Oregano, geknacktem Pfeffer und Olivenöl.

4.Pute 25 bis 30 Minuten backen oder bis die Innentemperatur 165 bis 175 Grad F erreicht.

Ernährung: Kalorien 189, Natrium 62mg, Ballaststoffe 0,9g, Gesamtzucker 0,6 g, Protein 20,8g, Calcium 34mg, Kalium 232mg,

Phosphor 180 mg

Geflügel

Petersilie und Hühnerbrust

Zubereitungszeit: 10 Minuten

Kochzeit: 40 Minuten

Portionen: 4

Zutaten:

- 1 Esslöffel trockene Petersilie
- 1 Esslöffel trockenes Basilikum
- 4 Hähnchenbrusthälften, knochen- und hautlos
- 1/2 Teelöffel Salz
- 1/2 Teelöffel Paprikaflocken, zerkleinert

Wegbeschreibungen:

1. Heizen Sie Ihren Ofen auf 350 °F vor

2. Nehmen Sie eine 9x13 Zoll Backform und fetten Sie es mit Kochspray

3. Sprinkle 1 Esslöffel Petersilie, 1 Teelöffel Basilikum und verteilen Sie die Mischung über Ihre Backform

4. Ordnen Sie die Hähnchenbrusthälften über die Schale und streuen Sie Knoblauchscheiben auf der Oberseite

5. Nehmen Sie eine kleine Schüssel und fügen Sie 1 Teelöffel Petersilie, 1 Teelöffel Basilikum, Salz, Basilikum, Paprika und gut mischen. Gießen Sie die Mischung über die Hühnerbrust

6.Backen für 25 Minuten

7.Entfernen Sie die Abdeckung und backen Sie für 15 Minuten mehr

8.Serve und genießen!

Ernährung: Kalorien: 150 Fett: 4g Kohlenhydrate: 4g Protein: 25g

Einfaches Senfhuhn

Zubereitungszeit: 10 Minuten

Kochzeit: 40 Minuten

Portionen: 4

Zutaten:

•4 Hähnchenbrust

•1/2 Tasse Hühnerbrühe

•3-4 Esslöffel Senf

•3 Esslöffel Olivenöl

•1 Teelöffel Paprika

•1 Teelöffel Chilipulver

•1 Teelöffel Knoblauchpulver

Wegbeschreibungen:

1.Nehmen Sie eine kleine Schüssel und mischen Senf, Olivenöl, Paprika, Hühnerbrühe, Knoblauchpulver, Hühnerbrühe und Chili

2.Fügen Sie Hühnerbrust und marinieren für 30 Minuten

3.Nehmen Sie ein gefüttertes Backblech und arrangieren Sie das Huhn

4.Backen Sie für 35 Minuten bei 375 °F

5.Serve und genießen!

Ernährung: Kalorien: 531 Fett: 23g Kohlenhydrate: 10g Protein: 64g

Goldene Auberginen Fries

Zubereitungszeit: 10 Minuten

Kochzeit: 15 Minuten

Portionen: 8

Zutaten:

•2 Eier

•2 Tassen Mandelmehl

•2 Esslöffel Kokosöl, Spray

•2 Auberginen, geschält und dünn geschnitten

•Sonnenblumenkerne und Pfeffer

Wegbeschreibungen:

1.Vorheizen Sie Ihren Ofen auf 400 Grad F.

2.Nehmen Sie eine Schüssel und mischen Sie mit Sonnenblumenkernen und schwarzem Pfeffer.

3.Nehmen Sie eine andere Schüssel und schlagen Eier bis schaumig.

4.Tauchen Sie die Auberginenstücke in die Eier.

5.Dann beschichten Sie sie mit der Mehlmischung.

6.Fügen Sie eine weitere Schicht Mehl und Ei.

7.Dann nehmen Sie ein Backblech und Fett mit Kokosöl auf der Oberseite.

8.Backen Sie für ca. 15 Minuten.

9.Serve und genießen!

Ernährung: Kalorien: 212 Fett: 15.8g Kohlenhydrate: 12.1g
Protein: 8.6g Phosphor: 150mg Kalium: 147mg Natrium:
105mg

Verlockende Blumenkohl und Dill-Mash

Zubereitungszeit: 10 Minuten

Kochzeit: 6 Stunden

Portionen: 6

Zutaten:

• 1 Blumenkohlkopf, Blüten getrennt

• 1/3 Tasse Dill, gehackt

• 6 Knoblauchzehen

• 2 Esslöffel Olivenöl

• Pinch von schwarzem Pfeffer

Wegbeschreibungen:

1. Hinzufügen Blumenkohl zu Slow Cooker.

2. Add Dill, Knoblauch und Wasser, um sie zu bedecken.

3. Stellen Sie Deckel und kochen auf HIGH für 5 Stunden.

4. Drain die Blumen.

5. Saison mit Pfeffer und Öl hinzufügen, Maische mit Kartoffelmasher.

6. Whisk und dienen.

7. Genießen Sie!

Ernährung: Kalorien: 207 Fett: 4g Kohlenhydrate: 14g Protein: 3g Phosphor: 130mg Kalium: 107mg Natrium: 105mg

Fiery Honey Vinaigrette

Zubereitungszeit: 15 Minuten

Kochzeit: 0 Minuten

Portionen: 3/4 Tasse

Zutaten:

•1/3 Tasse frisch gepresster Limettensaft

•1/4 Tasse Honig

•1/4 Tasse Olivenöl

•1 Teelöffel gehackte frische Basilikumblätter

•1/2 Teelöffel Paprikaflocken

Wegbeschreibungen:

1.Mischen Sie den Limettensaft, Honig, Olivenöl, Basilikum und PaprikaFlocken in einer mittleren Schüssel, bis gut gemischt. Bewahren Sie das Dressing in einem Glasbehälter auf und bewahren Sie es bis zu 1 Woche im Kühlschrank auf.

Ernährung: Kalorien: 125 Fett: 9g Natrium: 1mg

Kohlenhydrate: 13g Phosphor: 1mg Kalium: 24mg Protein: 0g

Erbsensuppe

Zubereitungszeit: 10 Minuten

Kochzeit: 10 Minuten

Portionen: 4

Zutaten:

• 1 weiße Zwiebel, gehackt

• 1 Quart Veggie-Lager

• 2 Eier

• 3 Esslöffel Zitronensaft

• 2 Tassen Erbsen

• 2 Esslöffel Parmesan, gerieben

• Salz und schwarzer Pfeffer nach Geschmack

Wegbeschreibungen:

1. Erhitzen Sie einen Topf mit dem Öl bei mittlerer Hitze, fügen Sie die Zwiebel und sauté für 4 Minuten.

2. Fügen Sie die restlichen Zutaten außer den Eiern, zum Kochen bringen und kochen für 4 Minuten.

3. Fügen Sie Beseneier, rühren Sie die Suppe, kochen für 2 Minuten mehr, teilen Sie sich in Schüsseln und servieren.

Ernährung: Kalorien 293, Fett 11,2 Ballaststoffe 3,4, Kohlenhydrate 27, Protein 4,45

Pilz und Olive Sirloin Steak

Zubereitungszeit: 10 Minuten

Kochzeit: 14 Minuten

Portionen: 4

Zutaten:

•1 Pfund knochenloses Rindsirloin Steak, 3/4 Zoll dick, in 4 Stücke geschnitten

•1 große rote Zwiebel, gehackt

•1 Tasse Pilze

•4 Knoblauchzehen, in dünne Scheiben geschnitten

•4 Esslöffel Olivenöl

•1 Tasse Petersilienblätter, fein geschnitten

Wegbeschreibungen:

1.Nehmen Sie eine große Pfanne und legen Sie es über mittlere hohe Hitze

2.Öl hinzufügen und erhitzen lassen

3.Add Rindfleisch und kochen, bis beide Seiten gebräunt sind, entfernen Rindfleisch und abtropfen des Fetts

4.Fügen Sie den Rest des Öls zu Pfanne und erhitzen Sie es

5.Zwiebeln, Knoblauch hinzufügen und 2-3 Minuten kochen

6.Stir gut

7.Rückkehr Rindfleisch zu Pfanne und geringere Hitze zu medium

8.Cook für 3-4 Minuten (bedeckt)

9.Stir in Petersilie

10.Serve und genießen!

Ernährung: Kalorien: 386 Fett: 30g Kohlenhydrate: 11g

Protein: 21g

Grüner Salat und Bohnen-Medley

Portionen: 4

Zubereitungszeit: 10 Minuten

Kochzeit: 4 Stunden

Zutaten:

- 5 Karotten, in Scheiben geschnitten
- 1 1/2 Tassen große nördliche Bohnen, getrocknet
- 2 Knoblauchzehen, gehackt
- 1 gelbe Zwiebel, gehackt
- Pfeffer nach Geschmack
- 1/2 Teelöffel Oregano, getrocknet
- 5 Unzen Baby grüner Salat
- 4 1/2 Tassen niedrige Natrium-Veggie-Lager
- 2 Teelöffel Zitronenschale, gerieben
- 3 Esslöffel Zitronensaft

Wegbeschreibungen:

1. Fügen Sie Bohnen, Zwiebeln, Karotten, Knoblauch, Oregano und Lager zu Ihrem Slow Cooker.
2. Stir gut.
3. Stellen Sie Deckel und kochen auf HIGH für 4 Stunden.
4. Fügen Sie grünen Salat, Zitronensaft und Zitronenschale.

5.Stir und lassen Sie es für 5 Minuten sitzen.

6.Divide zwischen servieren Platten und genießen!

Ernährung: Kalorien: 219 Fett: 8g Kohlenhydrate: 14g Protein: 8g Phosphor: 210mg Kalium: 217mg Natrium: 85mg

Minty Lamm eintopf

Zubereitungszeit: 10 Minuten

Kochzeit: 1 Stunde und 45 Minuten

Portionen: 4

Zutaten:

- 1/2 Tasse Minze, gehackt
- Salz und schwarzer Pfeffer nach Geschmack
- 2 Pfund Lammschulter, ohne Knochen und gewürfelt
- 3 Esslöffel Öl
- 1 Karotte, gehackt
- 1 gelbe Zwiebel, gehackt
- 1 Sellerie-Rippe, gehackt
- 1 Esslöffel Ingwer, gerieben
- 1 Esslöffel Knoblauch, gehackt
- 1/2 Tasse Minze, gehackt
- 15 Unzen Kichererbsen konserven, entwässert
- 6 Esslöffel griechischer Joghurt

Wegbeschreibungen:

1. Erhitzen Sie einen Topf mit 2 Esslöffel Öl bei mittlerer Hitze, fügen Sie das Fleisch und braun für 5 Minuten.

2. Fügen Sie die Karotten, Zwiebeln, Sellerie, Knoblauch und den Ingwer, rühren und sautieren für 5 Minuten mehr.

3.Fügen Sie den Rest der Zutaten außer dem Joghurt, zum Kochen bringen und kochen bei mittlerer Hitze für 1 Stunde und 30 Minuten.

4.Teilen Sie den Eintopf in Schüsseln, top jede Portion mit dem Joghurt und servieren.

Ernährung: Kalorien 355, Fett 14,3, Ballaststoffe 6,7, Kohlenhydrate 22,6, Protein 15,4

Zitrusfrüchte und Senf Marinade

Zubereitungszeit: 15 Minuten

Kochzeit: 0 Minuten

Portionen: 3/4 Tasse

Zutaten:

•1/4 Tasse frisch gepresster Zitronensaft

•1/4 Tasse frisch gepresster Mangosaft

•1/4 Tasse Dijon Senf

•2 Esslöffel Honig

•2 Teelöffel gehackter frischer Thymian

Wegbeschreibungen:

1.Mischen Sie den Zitronensaft, Mangosaft, Senf, Honig und Thymian, bis gut in einer mittleren Schüssel gemischt.

Bewahren Sie die Marinade in einem versiegelten Glasbehälter im Kühlschrank für bis zu 3 Tage auf. Schütteln Sie, bevor Sie es verwenden.

Ernährung: Kalorien: 35 Fett: 0g Natrium: 118mg

Kohlenhydrate: 8g Phosphor: 14mg Kalium: 52mg Protein: 1g

Snack

Tangy Kurkuma gewürzte Floretten

Zubereitungszeit: 10 Minuten

Kochzeit: 55 Minuten

Portionen: 1

Zutaten:

•1-Kopf Blumenkohl, in Blüten gehackt

•1-EL Olivenöl

•1-Tbsp Kurkuma

•Eine Prise Kreuzkümmel

•Ein Schuss Salz

Wegbeschreibungen:

1.Stellen Sie den Ofen auf 400°F.

2.Put alle Zutaten in einer Backform. Gut mischen, bis gründlich kombiniert.

3.Bedecken Sie die Pfanne mit Folie. 40 Minuten braten. Die Folienabdeckung entfernen und zusätzlich 15 Minuten rösten.

Ernährung: Kalorien: 90 Fett: 3g Protein: 4.5g Natrium: 87mg Gesamtkohlenhydrate: 16.2g Ballaststoffe: 5g Netto Kohlenhydrate: 11.2g

Getreide Chia Chips

Zubereitungszeit: 10 Minuten

Kochzeit: 30 Minuten

Portionen: 10

Zutaten:

- 1/4 Tasse Hafer, glutenfrei
- 1/2 Tasse weiße Quinoa, ungekocht
- 3/4-Tasse Pekannüsse, gehackt
- 2-Tbsps Chia-Samen
- 2-Tbsps Kokoszucker
- Eine Prise Meersalz (optional)
- 2-Tbsps Kokosöl
- 1/2 Tasse Ahornsirup

Wegbeschreibungen:

1. Vorheizen Sie Ihren Ofen auf 325°F. Eine Backform mit Pergamentpapier auslegen.

2. Stir in den ersten sechs Zutaten in einer Mischschüssel. Gut mischen, bis gründlich kombiniert. Beiseite.

3. Gießen Sie das Öl und Sirup in einem kleinen Topf bei mittlerer Hitze platziert. Erhitzen Sie die Mischung für 3 Minuten, gelegentlich unter Rühren.

4. Falten In den trockenen Zutaten; gut rühren, um gründlich zu beschichten.

5.Gießen Sie die Mischung in der Backform, und verteilen Sie auf eine gleichmäßige Schicht mit einem Löffel.

6.Stellen Sie die Pfanne in den Ofen. 15 Minuten backen. Drehen Sie die Pfanne um, um gleichmäßig zu kochen. 8-10 Minuten backen, bis die Mischung goldbraun wird.

7.Erlauben Sie die Kühlung vollständig, bevor Sie die Chips in mundgerechte Stücke brechen.

Ernährung: Kalorien: 157 Fett: 5.2g Protein: 7.8g S Natrium: 25mg Gesamtkohlenhydrate: 22.1g Diätfaser: 2.5g Net Carbs: 19.6g

Ingwer Mehl Banane Ingwer Bars

Zubereitungszeit: 10 Minuten

Kochzeit: 40 Minuten

Portionen: 4-6

Zutaten:

• 1 Tasse Kokosmehl

• 1 1/2 EL. Geriebener Ingwer

• 2 große Reife Apfel

• 1 TL Backpulver

• 1/3 Tasse geschmolzene Butter

• 2 TL. Zimt

• 2 TL. Apfelessig

• 1/3 Tasse Honig oder Ahornsirup

• 1 TL Gemahlener Kardamom

• 6 medium Während Eier

Wegbeschreibungen:

1. Bereiten Sie den Ofen durch Vorwärmung auf 350oF vor.

2. Line eine Glasbackform mit Pergamentpapier. Wenn Sie kein Papier haben, fetten Sie einfach die Pfanne.

3. Put alle Zutaten außer dem Backpulver und Apfelessig durch eine Küchenmaschine und mischen, bis alles vermischt ist.

4. Jetzt fügen Sie die letzten beiden Zutaten und Blitz einmal vor dem Gießen der Mischung in die Glasschale.

5.Bake bis zu einem Zahnstocher in der Mitte eingeführt kommt sauber. Dies dauert in der Regel 40 Minuten.

Ernährung: Kalorien: 1407 kcal Protein: 42,18 g Fett: 100,26 g Kohlenhydrate: 88,33 g

Buttered Banana Kichererbsen Cookies

Zubereitungszeit: 10 Minuten

Kochzeit: 12 Minuten

Portionen: 8

Zutaten:

- 15-oz. Kichererbsen, gespült und entwässert
- 1/2 Tasse cremige Erdnussbutter
- 1-stück kleine Banane, sehr reif
- 2 TL Vanilleextrakt
- 1/3-Tasse Kokoszucker
- 2-Tbsps gemahlener Leinsamen
- 1 TL Backpulver
- 1/4 TL Salz
- 1/4 TL Zimt
- 1/3-Tasse Schokoladenchips

Wegbeschreibungen:

1. Vorheizen Sie Ihren Ofen auf 350F. Eine Backform mit Kochspray fetten.

2.Stir in alle Zutaten außer den Schokoladenchips in Ihrem Mixer. Mischen Sie den Teig für zwei Minuten, oder bis sie sich in eine glatte Konsistenz verwandeln.

3.Stir in den Schokoladenchips. Löffel den Teig, um Cookies zu bilden. Die Kekse in die Pfanne geben und 12 Minuten backen.

Ernährung: Kalorien: 372 Fett: 12.4g Protein: 18.6g Natrium: 174mg Gesamtkohlenhydrate: 58,1g Ballaststoffe: 11,6 g Nettokohlenhydrate: 46,5 g

Süße Sunup Samen

Zubereitungszeit: 5 Minuten

Kochzeit: 60 Minuten

Portionen: 8

Zutaten:

• 4 Tassen haferter Hafer

• 1 Tasse rohe Kürbiskerne

• 1/2-Tasse Leinsamen

• 1/4-Sesamsamen

• 3 TL Zimt

•   1/3-Tasse Honig

• 1/4-Tasse reiner Ahornsirup

• 1/4 Tasse Sonnenblumenöl

• 1 TL Vanilleextrakt

• 1 Tasse getrocknete Preiselbeeren

Wegbeschreibungen:

1. Den Ofen auf 350°F vorheizen. Bereiten Sie zwei Einheiten Backbleche vor, indem Sie sie mit Pergamentpapier ausstatten.

2. In einer großen Rührschüssel, kombinieren Sie den gerollten Hafer, Kürbiskerne, Leinsamen, Sesamsamen und Zimt. Mischen Sie sanft, bis gründlich kombiniert.

3. Gießen Sie alle flüssigen Zutaten in die Mischung und rühren, bis gut gemischt.

4.Auf den Backblechen, verteilen Sie die Mischung gleichmäßig. Legen Sie die Blätter in den Ofen. Kochen Sie für mindestens eine Stunde. Während des Backens die Mischung jede Viertelstunde rühren, um eine gleichmäßige Farbe auf seinen Oberflächen zu erreichen.

5.Entfernen Sie die Blätter aus dem Ofen. Kühlung vollständig zulassen. Fügen Sie die Tasse getrocknete Preiselbeeren, und gut mischen.

6.Store die Granola in einem luftdichten Behälter, um seine Frische und Knackigkeit zu erhalten.

Ernährung: Kalorien: 189 Fett: 6.3g Protein: 9.4g Natrium: 5mg Gesamt kohlenhydratreiche: 27.6g Ballaststoffe: 4g Netto Kohlenhydrate: 23.6g

Dessert

Schokolade Parfait

Zubereitungszeit: 2 Stunden

Kochzeit: nil

Servieren: 4

Zutaten:

• 2 Esslöffel Kakaopulver

• 1 Tasse Mandelmilch

• 1 Esslöffel Chia Samen

• Pinch von Salz

• 1/2 Teelöffel Vanilleextrakt

Richtung:

1.Nehmen Sie eine Schüssel und fügen Sie Kakaopulver, Mandelmandelmilch, Chia-Samen, Vanille-Extrakt, und rühren

2.Transfer zu Dessertglas und legen Sie in Ihrem Kühlschrank für 2 Stunden

3.Serve und genießen!

Ernährung: Kalorien: 130 Fett: 5g Kohlenhydrate: 7g Protein: 16g

51.Blumenkohl Bagel

Zubereitungszeit: 10 Minuten

Kochzeit: 30 Minuten

Servieren: 12

Zutaten:

• 1 großer Blumenkohl, unterteilt in Blüten und grob gehackt

• 1/4 Tasse Nährhefe

• 1/4 Tasse Mandelmehl

• 1/2 Teelöffel Knoblauchpulver

• 1 1/2 Teelöffel feines Meersalz

• 2 ganze Eier

• 1 Esslöffel Sesamsamen

Richtung:

1. Heizen Sie Ihren Ofen auf 400 °F vor

2. Ein Backblech mit Pergamentpapier auslegen, seitlich aufbewahren

3. Blend Blumenkohl in einer Küchenmaschine und in eine Schüssel übertragen

4. Hinzufügen von Nährhefe, Mandelmehl, Knoblauchpulver und Salz in eine Schüssel, mischen

5. Nehmen Sie eine weitere Schüssel und Schneebesen in Eiern, fügen Sie Blumenkohl-Mix

6.Geben Sie dem Teig ein Rühren

7.Integrieren Sie die Mischung in die Eimischung

8.Make Kugeln aus dem Teig, so dass ein Loch mit dem Daumen in jede Kugel

9.Ordnen Sie sie auf Ihrem vorbereiteten Blatt, abflachen sie in Bagel Formen

10.Sesamsamen bestreuen und eine halbe Stunde backen

11.Entfernen Sie den Ofen und lassen Sie sie abkühlen, genießen!

Ernährung: Kalorien: 152 Fett: 10g Kohlenhydrate: 4g Protein: 4g

Der Kokosnuss-Laib

Zubereitungszeit: 15 Minuten

Kochzeit: 40 Minuten

Servieren: 4

Zutaten:

- 1 1/2 Esslöffel Kokosmehl
- 1/4 Teelöffel auf Backpulver
- 1/8 Teelöffel Salz
- 1 Esslöffel Kokosöl, geschmolzen
- 1 ganzes Ei

Richtung:

1. Heizen Sie Ihren Ofen auf 350 °F vor
2. Kokosmehl, Backpulver, Salz hinzufügen
3. Kokosöl, Eier hinzufügen und gut rühren, bis gemischt
4. Lassen Sie den Teig für einige Minuten
5. Gießen Sie die Hälfte des Teigs auf die Backform
6. Spread es, um einen Kreis zu bilden, wiederholen Sie mit verbleibenden Teig
7. Backen Sie im Ofen für 10 Minuten

8.Sobald eine goldbraune Textur kommt, lassen Sie es abkühlen und servieren

9.Genießen Sie!

Ernährung: Kalorien: 297 Fett: 14g Kohlenhydrate: 15g Protein: 15g

Kokosnuss-Laib

Zubereitungszeit: 15 Minuten

Kochzeit: 40 Minuten

Portionen: 4

Zutaten

- 1 1/2 Esslöffel Kokosmehl
- 1/4 Teelöffel Backpulver
- 1/8 Teelöffel Salz
- 1 Esslöffel Kokosöl, geschmolzen
- 1 ganzes Ei

Wegbeschreibungen

1. Heizen Sie Ihren Ofen auf 350 °F vor

2. Kokosmehl, Backpulver, Salz hinzufügen

3. Kokosöl, Eier hinzufügen und gut rühren, bis gemischt

4. Lassen Sie den Teig für einige Minuten

5. Gießen Sie die Hälfte des Teigs auf die Backform

6. Spread es, um einen Kreis zu bilden, wiederholen Sie mit verbleibenden Teig

7. Backen Sie im Ofen für 10 Minuten

8. Sobald eine goldbraune Textur kommt, lassen Sie es abkühlen und servieren

9.Genießen Sie!

Ernährung: Kalorien: 297 Fett: 14g Kohlenhydrate: 15g
Protein: 15g